고려대
재미있는
한국어

쓰기 Writing

고려대학교 한국어센터 편

English Version

KU PRESS
고려대학교출판문화원

고려대학교 한국어센터는 1986년 설립된 이래 한국어와 한국 문화를 재미있게 배우고 효과적으로 가르치는 방법을 연구해 왔습니다. 《고려대 한국어》와 《고려대 재미있는 한국어》는 한국어센터에서 내놓는 세 번째 교재로 그동안 쌓아 온 연구 및 교수 학습의 성과를 바탕으로 하고 있습니다.

이 책의 가장 큰 특징은 한국어를 처음 접하는 학습자도 쉽게 배워서 바로 사용할 수 있도록 구성했다는 점입니다. 한국어 환경에서 자주 쓰이는 항목을 최우선하여 선정하고 이 항목을 학습자가 교실 밖에서 사용할 수 있도록 연습 기회를 충분히 그리고 다양하게 제공하고 있습니다.

이 책을 내기까지 많은 분들의 도움을 받았습니다. 먼저 지금까지 고려대학교 한국어센터에서 한국어를 공부한 학습자들께 감사드립니다. 쉽고 재미있는 한국어 교수 학습에 대한 학습자들의 다양한 요구가 없었다면 이 책은 나오지 못했을 것입니다. 그리고 한국어 학습자들의 요구에 부응하기 위해 열정적으로 교육과 연구에 헌신하고 계신 고려대학교 한국어센터의 선생님들께도 감사드립니다.

무엇보다 한국어 학습자와 한국어 교원의 요구 그리고 한국어 교수 학습 환경을 종합적으로 고려한 최상의 한국어 교재를 위해 밤낮으로 고민하고 집필에 매진하신 고려대학교 국어국문학과 김정숙 교수님을 비롯한 저자분들께 깊은 감사를 드립니다. 이 밖에도 이 책이 보다 멋진 모습을 갖출 수 있도록 도와주신 고려대학교 출판문화원의 윤인진 원장님과 직원 여러분께도 감사드립니다. 그리고 집필진과 출판문화원의 요구를 수용하여 이 교재에 맵시를 입히고 멋을 더해 주신 랭기지플러스의 편집 및 디자인 전문가, 삽화가의 노고에도 깊은 경의를 표합니다.

부디 이 책이 쉽고 재미있게 한국어를 배우고자 하는 한국어 학습자와 효과적으로 한국어를 가르치고자 하는 한국어 교원 모두에게 도움이 되기를 바랍니다. 또한 앞으로 한국어 교육의 내용과 방향을 선도하는 역할도 아울러 할 수 있게 되기를 희망합니다.

2019년 7월
국제어학원장 박성철

이 책의 특징

《고려대 한국어》와 《고려대 재미있는 한국어》는 '형태를 고려한 과제 중심 접근 방법'에 따라 개발된 교재입니다. 《고려대 한국어》는 언어 항목, 언어 기능, 문화 등이 통합된 교재이고, 《고려대 재미있는 한국어》는 말하기, 듣기, 읽기, 쓰기로 분리된 기능 교재입니다.

《고려대 한국어》 2A와 2B가 100시간 분량, 《고려대 재미있는 한국어》 말하기, 듣기, 읽기, 쓰기가 100시간 분량의 교육 내용을 담고 있습니다. 200시간의 정규 교육 과정에서는 여섯 권의 책을 모두 사용하고, 100시간 정도의 단기 교육 과정이나 해외 대학 등의 한국어 강의에서는 강의의 목적이나 학습자의 요구에 맞는 교재를 선택하여 사용할 수 있습니다.

《고려대 재미있는 한국어》의 특징

▶ **한국어를 처음 배우는 학습자도 쉽게 배울 수 있습니다.**
- 한국어 표준 교육 과정에 맞춰 성취 수준을 낮췄습니다. 핵심 표현을 정확하고 유창하게 사용하는 것이 목표입니다.
- 제시되는 언어 표현을 통제하여 과도한 입력의 부담 없이 주제와 의사소통 기능에 충실할 수 있습니다.
- 알기 쉽게 제시하고 충분히 연습하는 단계를 마련하여 학습한 내용의 이해에 그치지 않고 바로 사용할 수 있습니다.

▶ **학습자의 동기를 이끄는 즐겁고 재미있는 교재입니다.**
- 한국어 학습자가 가장 많이 접하고 흥미로워하는 주제와 의사소통 기능을 다룹니다.
- 한국어 학습자의 특성과 요구를 반영하여 실제적인 자료를 제시하고 유의미한 과제 활동을 마련했습니다.
- 한국인의 언어생활, 언어 사용 환경의 변화를 발 빠르게 반영했습니다.
- 친근하고 생동감 있는 삽화와 입체적이고 감각적인 디자인으로 학습의 재미를 더합니다.

▶ 말하기 20단원, 듣기 10단원, 읽기 10단원, 쓰기 13단원으로 구성하였으며 한 단원은 내용에 따라 1~4시간이 소요됩니다.

▶ 각 기능별 단원 구성은 아래와 같습니다.

말하기	도입	배워요 1~2	말해요 1~3	자기 평가
	학습 목표 생각해 봐요	주제, 기능 수행에 필요한 어휘와 문법 제시 및 연습	• 형태적 연습/유의적 연습 • 의사소통 말하기 과제 • 역할극/짝 활동/게임 등	

듣기	도입	들어요 1	들어요 2~3	자기 평가	더 들어요
	학습 목표 음운 구별	어휘나 표현에 집중한 부분 듣기	주제, 기능과 관련된 다양한 듣기		표현, 기능 등이 확장된 듣기

읽기	도입	읽어요 1	읽어요 2~3	자기 평가	더 읽어요
	학습 목표 생각해 봐요	어휘나 표현에 집중한 부분 읽기	주제, 기능과 관련된 다양한 읽기		표현, 기능 등이 확장된 읽기

쓰기	도입	써요 1	써요 2	자기 평가
	학습 목표	어휘나 표현에 집중한 문장 단위 쓰기	주제, 기능에 맞는 담화 차원의 쓰기	

▶ 교재의 앞부분에는 '이 책의 특징'을 배치했고, 교재의 뒷부분에는 '정답'과 '듣기 지문', '어휘 찾아보기', '문법 찾아보기'를 부록으로 넣었습니다.

▶ 모든 듣기는 MP3 파일 형태로 내려받아 들을 수 있습니다.

《고려대 재미있는 한국어 2》의 목표

일상생활에서 자주 접하는 주제인 자기소개, 건강, 여가 활동, 가족, 여행 등에 대해 이해하고 표현할 수 있습니다. 길 묻기, 옷 사기, 축하와 위로하기 등의 기본적인 의사소통 기능을 수행할 수 있습니다. 한국어의 높임말과 반말의 쓰임을 알고 구별하여 말할 수 있습니다.

About the Textbook

KU Korean Language and *KU Fun Korean* adopt a "task-based approach with forms in consideration". The former integrates language items, language skills, and culture while the latter separates language skills into speaking, listening, reading, and writing.

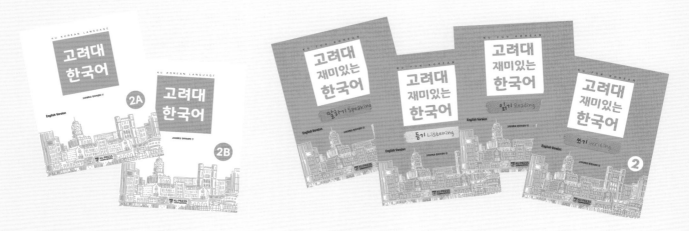

KU Korean Language composed of 2A and 2B offers a 100-hour language course, and *KU Fun Korean* also contains a 100-hour course for speaking, listening, reading, and writing as a whole. Therefore, using the six volumes of the two together makes up a regular 200-hour language program. In the case of 100-hour short language programs or Korean language courses in overseas universities, these volumes can be selectively used according to the purpose of the program or the needs of the learner.

About *KU Fun Korean*

▶ **The textbook helps even beginners learn Korean in an easy way.**
- The level of target achievement is moderated in accordance with the International Standard Curriculum of Korean Language. It aims to facilitate accurate and fluent use of key expressions.
- By restricting the number of language expressions for input, more focus can be placed on topics and communicative skills while alleviating pressure put on the learner.
- Learners can readily understand what they learn thanks to easy explanations and also immediately apply their knowledge to practice by completing a sufficient number of exercises.

▶ **The textbook is a fun and interesting textbook that can motivate the learner.**
- It addresses the topics and communication skills that the Korean language learner is highly interested in as they are frequently used in real life.
- By reflecting on the characteristics and needs of Korean language learners, practical materials have been developed incorporating meaningful task-based activities.
- It reflects the fast-changing Korean language lifestyle and environment.
- Familiar and engaging illustrations, as well as stereoscopic and stylish design, add fun to learning Korean.

▶ It consists of 20 units of speaking, 10 units of listening, 10 units of reading, and 13 units of writing, and each units requires 1-4 hours in tandem with the content.

▶ Units for each communicative function are structured as follows

🔊 Speaking

Introduction	Let's learn 1~2	Speaking 1~3	Self-check
Learning objectives Let's think	Topic, vocabulary and grammar required for performing communicative functions, and exercise activities	• Exercises that focus on form and meaning • Conversational speaking tasks • Role plays/pair activities/ games, etc.	

🎧 Listening

Introduction	Listening 1	Listening 2~3	Self-check	Listening more
Learning objectives Sound discrimination	Listening focusing on vocabulary or expressions	Various types of listening practice related to the topic and communicative functions		Listening exercises on extended expressions and their communicative functions

📖 Reading

Introduction	Reading 1	Reading 2~3	Self-check	Reading more
Learning objectives Let's think	Reading focusing on vocabulary or expressions	Various types of reading practice related to the topic and communicative functions		reading exercises on extended expressions and their communicative functions

✏️ Writing

Introduction	Writing 1	Writing 2	Self-check
Learning objectives	Sentence-based writing focusing on vocabulary or expressions	Dialogue writing related to the topic and communicative functions	

▶ **About the Textbook is located in the beginning of the book, and Correct Answers, and Listening Scripts, the Vocabulary and Grammar Index are in the appendix.**

▶ **All audio files can be downloaded as MP3 files.**

Learning Objectives of *KU Fun Korean 2*

Learners can understand and express their thoughts on the topics related to their daily life, such as self-introductions, health, favorite things, family, and travel. They can perform basic conversational tasks such as asking for directions, buying clothes, and congratulating and consoling someone. They can also discern differences between polite and casual expressions in Korean and speak appropriately according to the situation.

이 책의 특징 About the Textbook

단원 제목 Title of the unit

학습 목표 Learning objectives

- 단원의 의사소통 목표입니다.
  It is the communicative objectives of the lesson.

써요 1 Write 1

- 단원의 주제를 표현하거나 기능을 수행하는 데 필요한
  어휘 및 문법 표현에 초점을 둔 쓰기 연습 활동입니다.
  This exercise involves writing that focuses on the
  vocabulary and grammar expressions essential for
  expressing the topic of the lesson or performing
  specific communicative functions.

- 짧은 문장 단위의 쓰기입니다.
  The learner writes short sentences.

쓰기 종합 Write comprehensively

- 담화의 형태적, 내용적 긴밀성에 초점을 둔 쓰기 과제
  활동입니다.
  This is a writing task focusing on the formality and
  coherence of a passage.

써요 1 Write 1

- 문장과 문단의 구성 방식에 초점을 둔 쓰기 또는 의미와
  기능이 유사한 부사, 조사, 어미 등의 쓰임을 구별하기 위한
  쓰기 연습 활동입니다.
  This writing exercise concentrates on structuring
  sentences or a paragraph, or discerning an adverb,
  particle, or suffix with a similar meaning and
  function.

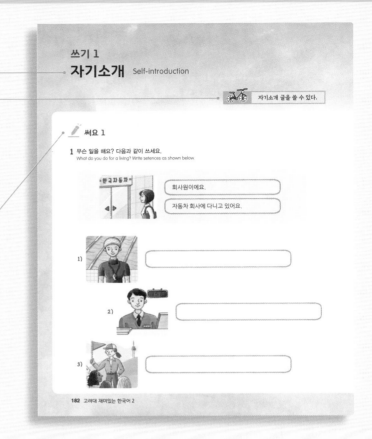

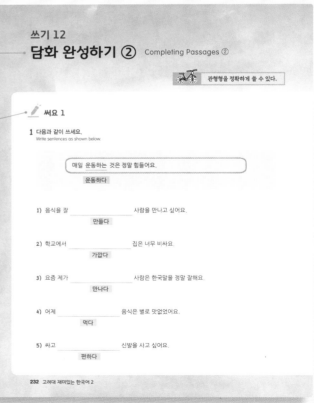

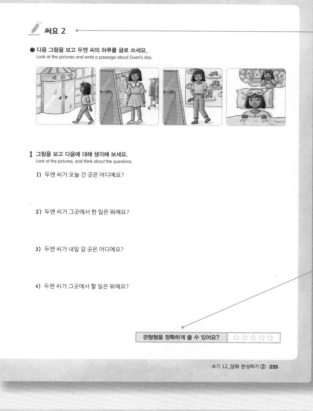

써요 2 Write 2

- 단원의 주제와 기능이 구현된 의사소통적 쓰기 과제 활동입니다.
  This exercise involves a communicative writing task connected to the topic and purpose of the lesson.
- 담화 단위의 쓰기로 담화의 내용을 유도하는 단서를 이용해 쓰기를 합니다.
  The learner writes a dialogue using clues that can be helpful in structuring the passage.

자기 평가 Self-check

- 학습 목표의 달성 여부를 학습자가 스스로 점검합니다.
  Learners evaluate to what extent they have achieved the learning objectives.

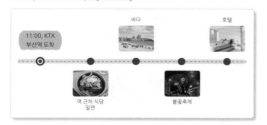

써요 2 Write 2

- 형태적, 내용적 긴밀성을 갖춘 담화의 산출을 목표로 하는 쓰기 과제 활동입니다.
  This task aims to help the learner write a passage with formality and coherence.

쓰기
Writing

차례 Contents

부록

쓰기 1
자기소개 Self-introduction

 자기소개 글을 쓸 수 있다.

 써요 1

1 무슨 일을 해요? 다음과 같이 쓰세요.
What do you do for a living? Write setences as shown below.

회사원이에요.

자동차 회사에 다니고 있어요.

1)

2)

3)

4)

5)

6)

7)

2 다음과 같이 쓰세요.

Write setences as shown below.

| 한국어 공부를 마치다 | 고향에 돌아가다 | 취직하다 | 대학에 입학하다 |

| 대학을 졸업하다 | 유학을 가다 | 회사를 그만두다 | 6급까지 수료하다 |

저는 한국어 공부를 마친 후에 취직을 하려고 해요.

1)
2)
3)
4)

 써요 2

● 다음 사람을 소개하는 글을 쓰세요.
Write a passage introducing the person shown below.

- 하리자 로리타사리
- 인도네시아
- 고등학교 3학년
- 한국 가수를 좋아해요
- 작년부터 한국어를 공부해요
- 한국 대학 입학(유학)

1 표를 보고 다음에 대해 생각해 보세요.
Look at the table and think about.

이름	나라	직업

왜 한국어를 공부해요?	앞으로 뭐 하고 싶어요?

2 생각한 것을 한 문장씩 쓰세요.
Write sentences one by one based on your thoughts.

1) 이름 _____

2) 국적/나라 _____

3) 직업 [-고 있다] _____

4) 한국어 공부 _____

5) 앞으로? [-(으)ㄴ 후에, 이/가 되고 싶다, -(으)려고 하다]

_____

_____

3 자기소개 글을 쓰세요.
Write a self-introduction.

_____

_____

_____

_____

_____

| 자기소개 글을 쓸 수 있어요? | ☆ ☆ ☆ ☆ ☆ |

위치 Location

 위치에 대한 글을 쓸 수 있다.

 ## 써요 1

1 다음과 같이 쓰세요.
Write setences as shown below.

 책

> 책이 책상 위에 있어요.

1)
 가방

2)
 하준 씨

3)
 정수기

4)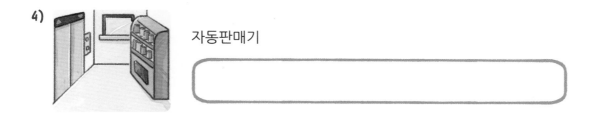

자동판매기

2 어떻게 가요? 다음과 같이 쓰세요.

How will they go there? Write setences as shown below.

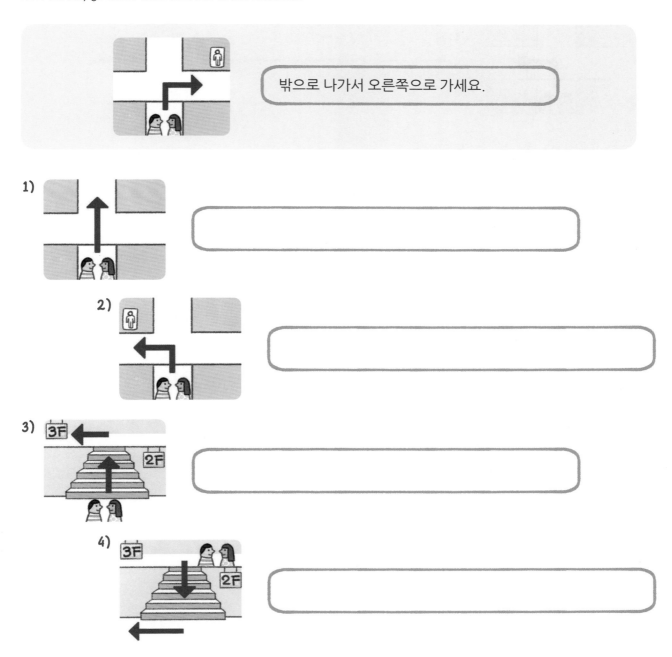

밖으로 나가서 오른쪽으로 가세요.

1)

2)

3)

4)

3 어떻게 가요? 다음과 같이 쓰세요.

How will they go there? Write setences as shown below.

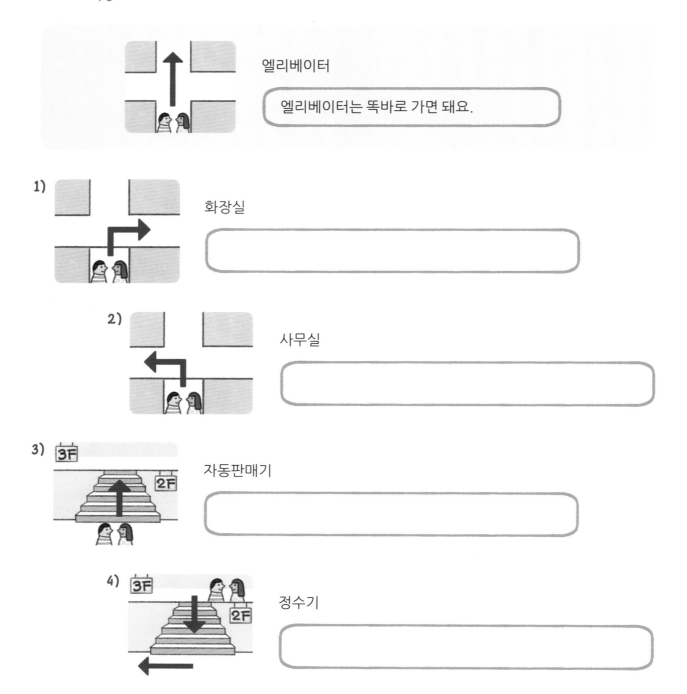

엘리베이터

> 엘리베이터는 똑바로 가면 돼요.

1) 화장실

2) 사무실

3) 자동판매기

4) 정수기

써요 2

● 다음 그림을 보고 학교에 대한 글을 쓰세요.
Look at the picture and write a passage about the school.

↳운동장 playground

1 그림을 보고 다음에 대해 생각해 보세요.
Look at the picture, and think about the questions.

1) 도서관은 어디에 있어요? 정문에서 어떻게 가요?

2) 운동장은 어디에 있어요? 도서관에서 어떻게 가요?

3) 식당은 어디에 있어요? 운동장에서 어떻게 가요?

2 생각한 것을 바탕으로 글을 쓰세요.
Write a passage based on your thoughts.

_____

_____

_____

_____

_____

_____

위치에 대한 글을 쓸 수 있어요?	☆ ☆ ☆ ☆ ☆

여가 생활 Leisure Activities

 여가 생활에 대한 글을 쓸 수 있다.

✏️ 써요 1

1 다음과 같이 쓰세요.
Write setences as shown below.

재미있다

> 저는 게임하는 것이 재미있어요.

1)

좋아하다

2)

싫어하다

3)

어렵다

4)

안 좋아하다

5)

힘들다

6)

재미없다

2 다음과 같이 쓰세요.
Write setences as shown below.

밥을 먹다, 스마트폰을 하다   밥을 먹을 때 스마트폰을 해요.

1) 샤워하다, 음악을 듣다

2) 고향에 살다, 산책을 자주 했다

3) 학교에 가다, 친구하고 같이 가다

4) 대학교에 다니다, 한국어를 공부했다

5) 드라마가 다 끝났다, 친구가 왔다

6) 운동장에서 춤 연습을 하다, 비가 왔다

 써요 2

● 두엔 씨가 되어 여가 생활에 대한 글을 쓰세요.
Imagine you are Duen and write a passage about her leisure activities.

1 그림을 보고 다음에 대해 생각해 보세요.
Look at the pictures, and think about the questions.

1) 시간이 많을 때 무엇을 해요?

2) 보통 어디에서 누구하고 해요?

3) 얼마나 자주 해요?

4) 앞으로 무엇이 되고 싶어요?

2 생각한 것을 바탕으로 글을 쓰세요.
Write a passage based on your thoughts.

_____

_____

_____

_____

_____

_____

여가 생활에 대한 글을 쓸 수 있어요?	☆ ☆ ☆ ☆ ☆

쓰기 4
건강 Health

건강에 대한 글을 쓸 수 있다.

 **써요 1**

1 다음과 같이 쓰세요.
Write setences as shown below.

집에 가다

머리가 아프면 집에 가세요.

1)

병원에 가다

2)

약을 먹다

3)

집에 일찍 가다

4)

집에서 쉬다

2 다음과 같이 쓰세요.
Write setences as shown below.

지금은 다 낫다, 운동을 하다 ⭕	지금은 다 나아서 운동을 해도 돼요.
다리를 다치다, 운동을 하다 ❌	다리를 다쳐서 운동을 하면 안 돼요.

1) 배탈이 나다, 밥을 먹다 ❌

2) 지금은 안 아프다, 학교에 가다 ⭕

3) 머리가 아프다, 책을 읽다 ❌

4) 감기에 걸리다, 수영을 하다 ❌

5) 알레르기가 심하다, 산책을 하다 ❌

6) 내일 휴일이다, 늦게 일어나다 ♡

 **써요 2**

● **다음 그림을 보고 건강에 대한 글을 쓰세요.**
Look at the pictures and write a passage about health.

1 **그림을 보고 다음에 대해 생각해 보세요.**
Look at the pictures, and think about the questions.

어제 낮

어젯밤

오늘

1) 어제 낮에 무엇을 했어요?

2) 어젯밤에 몸이 어땠어요? 그래서 어떻게 했어요?

3) 의사 선생님이 무슨 말을 했어요?

2 생각한 것을 바탕으로 글을 쓰세요.
Write a passage based on your thoughts.

_____

_____

_____

_____

_____

_____

| 건강에 대한 글을 쓸 수 있어요? | ☆ ☆ ☆ ☆ ☆ |

쓰기 5
좋아하는 것 Favorites

 좋아하는 것에 대한 글을 쓸 수 있다.

 써요 1

1 어때요? 다음과 같이 쓰세요.
How are they? Write setences as shown below.

하준 씨 　　나

> 하준 씨는 체격이 크지만 나는 체격이 작아요.

1)

나 　　친구

2)

빌궁 씨 　　나

3)

이 방 　　저 방

4)

여기   저기

5)

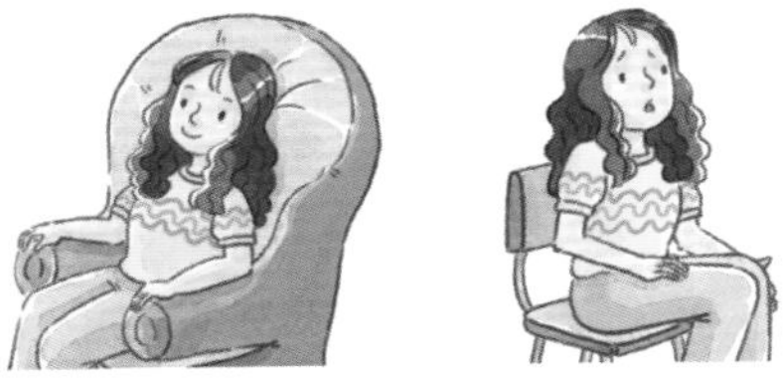

이 의자   그 의자

2 다음과 같이 쓰세요.
Write setences as shown below.

요리를 잘하다, 사람, 사귀다   요리를 잘하는 사람을 사귀면 좋겠어요.

1) 영화를 좋아하다, 사람, 만나다

2) 성격이 좋고 귀엽다, 사람, 사귀다

3) 멋있고 똑똑하다, 사람, 만나다

4) 책을 많이 읽다, 사람, 사귀다

5) 학교에서 가깝다, 집, 살다

6) 깨끗하고 넓다, 집, 살다

7) 차갑다, 커피, 마시다

8) 시원하고 아주 달다, 과일, 먹다

9) 재미있다, 장소, 놀러 가다

10) 단풍이 예쁘다, 산, 놀러 가다

11) 싸고 가볍다, 노트북, 사다

12) 예쁘고 마음에 들다, 옷, 사다

써요 2

● **좋아하는 것에 대한 글을 쓰세요.**
Write a passage about the things the person likes.

1 **그림을 보고 이 사람이 좋아하는 것을 추측해 보세요.**
Look at the picture and guess the things the person likes.

✔ 좋아하는 것

☐ 혼자 있다   ☐ 여러 사람하고 같이 있다
☐ 이야기를 듣다   ☐ 이야기를 하다
☐ 피아노를 치다   ☐ 음악을 듣다
☐ 음식을 만들어서 먹다 ☐ 음식을 사서 먹다

✔ 좋아하는 곳

☐ 조용하다   ☐ 시끄럽다
☐ 밝다   ☐ 어둡다

✔ 좋아하는 날씨

☐ 비가 오다   ☐ 맑다
☐ 춥다   ☐ 덥다

✔ ?

2 **여러분이 생각한 것을 다음과 같이 한 문장씩 쓰세요.**
Write a sentence based on your thoughts as shown below.

> 혼자 있는 것을 좋아하는 사람이에요.

1) _____

2) _____

3)

_____

4)

_____

5)

_____

3 위의 문장을 바탕으로 이 사람이 좋아하는 것을 쓰세요.
Based on the sentences you wrote above, write a passage about the things the person likes.

_____

_____

_____

_____

_____

_____

좋아하는 것에 대한 글을 쓸 수 있어요?　☆ ☆ ☆ ☆ ☆

쓰기 6
가족 Family

 높임말을 사용해 가족을 소개하는 글을 쓸 수 있다.

 **써요 1**

1 다음과 같이 고쳐 쓰세요.
Paraphrase the sentence as shown below.

> 나는 지금 청소를 해요. 아버지 | 아버지께서는 지금 청소를 하세요.

1) 저는 요즘 한국어를 배워요.

> 어머니 |

2) 다니엘 씨는 키가 크고 멋있어요.

> 할아버지 |

3) 저는 한국 음식을 좋아해서 자주 먹어요.

> 아버지 |

4) 저는 전에 한국 회사에서 일했어요.

> 제 친구 |

5) 제가 자주 가는 곳이에요.

사장님

6) 제 동생은 내일 한국에 올 거예요.

선생님

7) 웨이 씨는 지금 아마 집에 있을 거예요.

어머니

8) 친구가 많이 아파요. 그래서 오늘 안 왔어요.

할머니

2 **어떤 친구, 어떤 선생님이 좋아요? 다음과 같이 쓰세요.**
What kind of friend and teacher do you prefer? Fill in the blanks with appropricte expressions as shown below.

밥을 사다　　　돈을 빌리다　　　음식을 만들다　　　내 이야기를 듣다

잘 웃다　　　한국어를 잘 가르치다　　　어려울 때 돕다　　　천천히 이야기하다

저는 천천히 이야기해 주는　　　친구가 좋아요.

1) 친구가 좋아요.

2) <div>친구가 좋아요.</div>

3) <div>친구가 좋아요.</div>

4) <div>선생님이 좋아요.</div>

5) <div>선생님이 좋아요.</div>

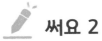 ## 써요 2

● 가족 중 한 사람이나 주위의 어른을 소개하는 글을 쓰세요. 부모님, 할머니, 선생님, 집 주인, 가게 사장님 다 좋아요.
Write a passage introducing a member of your family or an older person you know. Any person is fine such as your parents, grandmother, teacher, landlord, or a shop owner.

1 다음에 대해 생각해 보세요.
Think about the questions.

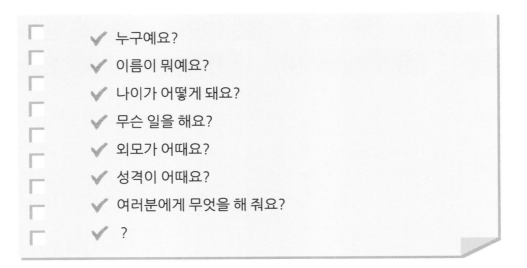

✔ 누구예요?
✔ 이름이 뭐예요?
✔ 나이가 어떻게 돼요?
✔ 무슨 일을 해요?
✔ 외모가 어때요?
✔ 성격이 어때요?
✔ 여러분에게 무엇을 해 줘요?
✔ ?

2 생각한 것을 바탕으로 글을 쓰세요.
Write a passage based on your thoughts.

_____

_____

_____

_____

_____

_____

| 높임말을 사용해 가족을 소개하는 글을 쓸 수 있어요? | ☆ ☆ ☆ ☆ ☆ |

쓰기 7

여행 Travel

 여행 경험에 대한 글을 쓸 수 있다.

 **써요 1**

1 무엇을 해 봤어요? 다음과 같이 쓰세요.
What have you experienced? Write sentences as shown below.

> 한강, 자전거를 타다
>
> 한강에서 자전거를 타 봤어요.

1) 해수욕장, 수영을 하다

2) 전주, 비빔밥을 먹다

3) 민속촌, 한복을 입다

4) 한국, 배를 타다

5) 일본, 온천에 가다

6) 한국, 박물관에 가다

7) 고향, 한국 음식을 만들다

8) 고려대학교, 사진을 찍다

9) 한국, 눈사람을 만들다

10) 교실, K-POP 춤을 추다

2 다음과 같이 쓰세요.
Write sentences as shown below.

> 식당에서 음식을 먹다, 아주 맛있었다
>
> 식당에서 먹은 음식은 아주 맛있었어요.

1) 미술관에서 그림을 보다, 정말 멋있었다

2) 야시장에서 음식을 사다, 아주 쌌다

3) 부산에서 경치를 보다, 정말 멋있었다

4) 전주에서 비빔밥을 먹다, 정말 맛있었다

5) 영국에서 박물관에 가다, 아주 멋있었다

6) 부산에서 절을 구경하다, 정말 컸다

7) 한국에서 해수욕장에 가 보다, 정말 좋았다

8) 어제 춤을 배우다, 아주 어려웠다

 ## 써요 2

● **다음을 보고 여행에 대한 글을 쓰세요.**
Look at the picture below and write a passage about traveling.

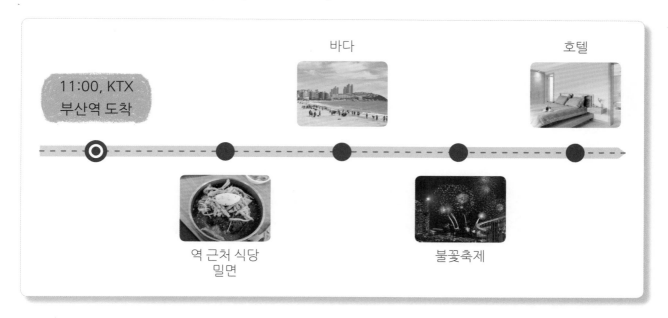

11:00, KTX
부산역 도착

바다

호텔

역 근처 식당
밀면

불꽃축제

1 **그림을 보고 다음에 대해 생각해 보세요.**
Look at the picture, and think about the questions.

1) 어디에 갔어요?

2) 그곳에서 무엇을 했어요? 어땠어요?

3) 문장을 어떻게 쓰고 연결할 거예요?

2 생각한 것을 바탕으로 글을 쓰세요.
Write a passage based on your thoughts.

_____

_____

_____

_____

_____

_____

여행 경험에 대한 글을 쓸 수 있어요?	☆ ☆ ☆ ☆ ☆

쓰기 8
옷 사기 Clothes Shopping

옷을 산 경험에 대해 쓸 수 있다.

 써요 1

1 다음과 같이 쓰세요.
Write sentences as shown below.

웨이

웨이 씨는 빨간색 티셔츠를 입었어요.

1)

나쓰미

2)

하준

3)

미아

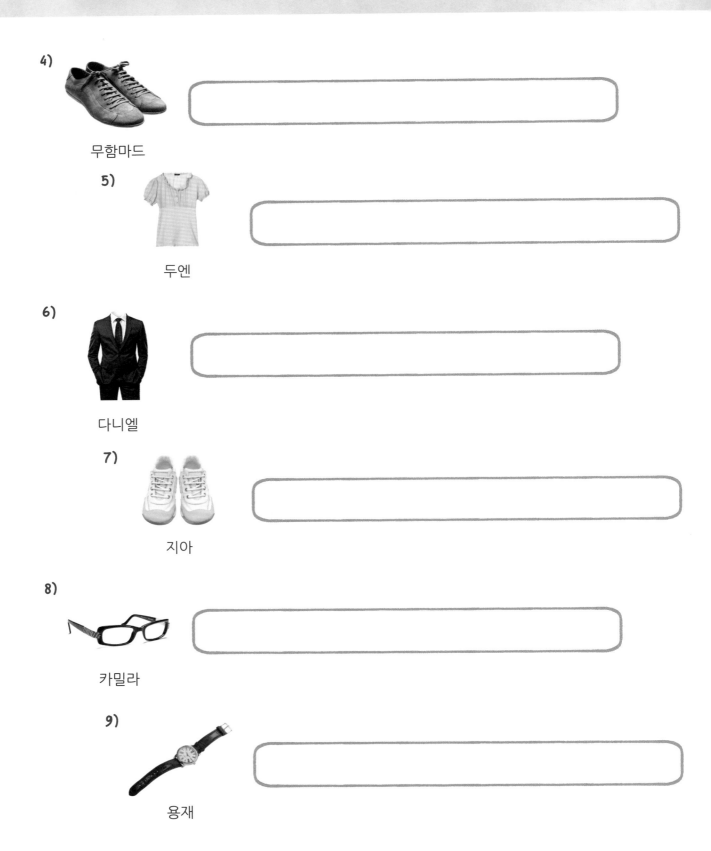

4)

무함마드

5)

두엔

6)

다니엘

7)

지아

8)

카밀라

9)

용재

2 무엇을 하는 것 같아요? 밖이 어떤 것 같아요? 다음과 같이 쓰세요.

What do you think the person is doing? How do you think it looks outside the window? Write sentences as shown below.

노래하는 것 같아요.

1)

2)

3)

4)

5)

6)

 써요 2

● **최근에 옷을 산 경험에 대한 글을 쓰세요.**
Write a passage about a recent time you went shopping for clothes.

1 다음에 대해 생각해 보세요.
Think about the questions.

1) 무엇을 샀어요?

☐ 옷　　☐ 신발　　☐ 모자　　☐

2) 왜 샀어요?

3) 어떤 색이에요?

4) 잘 어울려요?

2 생각한 것을 바탕으로 글을 쓰세요.
Write a passage based on your thoughts.

_____

_____

_____

_____

_____

_____

옷을 산 경험에 대해 쓸 수 있어요?	☆ ☆ ☆ ☆ ☆

쓰기 9
축하와 위로 Congratulations & Consolation

 축하와 위로의 글을 쓸 수 있다.

 ## 써요 1

1 다음과 같이 쓰세요.
Fill in the blanks with appropriate expressions as shown below.

| 시험에 합격하다 | 시험에 떨어지다 | 아르바이트를 구하다 | 돈을 잃어버리다 |

| 물건이 고장나다 | 남자/여자 친구가 생기다 | 가족이 아프다 | 장학금을 받다 |

> 시험에 합격해서 행복해요.

1) [   ] 기뻐요.

2) [   ] 슬퍼요.

3) [   ] 걱정돼요.

4) [   ] 짜증이 나요.

2 어떤 말로 친구를 위로할 거예요? 다음과 같이 쓰세요.
What word do you want to use to console your friend? Write sentences as shown below.

> 열심히 공부하다,
> 다음 시험에는 꼭 합격하다

> 열심히 공부하면 다음 시험에는 꼭 합격할 거예요.

1) 한국어를 잘하다, 아르바이트를 구할 수 있다

2) 연습을 많이 하다, 발표할 때 실수를 안 하다

3) 열심히 공부하다, 좋은 곳에 취직하다

4) 매일 연습을 하다, 배드민턴을 잘 칠 수 있다

5) 한국 드라마를 자주 보다, 한국말을 잘할 수 있다

6) 내일 눈이 많이 오다, 눈사람을 만들 수 있다

 **써요 2**

● **축하나 위로의 글을 쓰세요.**
Write a passage congratulating or consoling someone.

1) 최근에 여러분의 주위 사람들한테 축하할 일, 위로할 일이 있었어요?
Have you congratulated or consoled anyone recently?

생일　　취직　　합격　　불합격　　?

2) 어떻게 축하를 해요? 어떻게 위로를 해요? 그때 하는 말을 생각해 보세요.
How do you congratulate someone? How do you console someone? Think about the expressions you use when congratulating or consoling someone.

3) 누구한테 쓸 거예요? 무슨 이야기를 하고 싶어요? 메모하세요.
To whom are you going to write to? What message do you want to deliver? Write down the answers.

받는 사람	
축하하는 이유 / 위로하는 이유	
하고 싶은 말	

4) 생각한 것을 바탕으로 글을 쓰세요.

Based on the memos, write a passage.

축하와 위로의 글을 쓸 수 있어요?	☆ ☆ ☆ ☆ ☆ ☆

쓰기 10

안부 Saying Hello

반말을 사용하여 안부를 묻는 글을 쓸 수 있다.

 써요 1

1 다음과 같이 고쳐 쓰세요.
Paraphrase the sentence as shown below.

저는 한국어를 공부해요. 나는 한국어를 공부해.

1) 저는 한국에서 유학 중이에요. 부모님은 중국에 사세요. 저만 한국에 살아요.

2) 저는 겨울에 한국에 왔어요. 한국 겨울은 너무 추웠어요.
그래서 처음에는 한국 생활이 조금 힘들었어요.

3) 아직 저는 한국 친구가 많이 없어요. 한국 친구를 많이 사귀고 싶어요.

4) 한국 친구를 사귀면 한국어를 많이 연습할 거예요.
그리고 같이 서울을 구경했으면 좋겠어요.

5) 다음 주부터는 방학이에요. 방학에는 조금 늦게 일어날 거예요.
그렇지만 아침을 꼭 먹으려고 해요.

6) 저는 매운 음식을 잘 못 먹어요.
그래서 선생님께 안 매운 한국 음식 이름을 많이 물어봤어요.

7) 지난주에는 홍대하고 이태원에 가 봤어요. 한국에는 재미있는 곳이 정말 많은 것 같아요.

8) 지금은 들어가면 안 돼요. 수업 중이에요. 수업이 끝나면 알려 줄게요. 그때 들어가세요.

2 다음과 같이 쓰세요.
Write sentences as shown below.

> 이번 주에 한국어를 배우다 / 반말
>
> 이번 주에 배울 한국어는 반말이에요.

1) 저녁에 음식을 먹다 / 삼겹살

2) 방학에 장소에 놀러 가다 / 한라산

3) 내일 우리가 영화를 보다 / '여름 일기'

4) 이번에 사람이 노래하다 / 다니엘 씨

5) 우리가 같이 음식을 만들다 / 김치

6) 지금부터 음악을 듣다 / '여름 일기'

7) 다음 주에 책을 읽다 / 이 책

8) 내일 장소에서 만나다 / 학교 정문

9) 내일 가게에서 물건을 사다 / 휴지

10) 앞으로 우리가 집에 살다 / 저 집

✏️ 써요 2

● **친구한테 안부를 묻는 이메일을 반말로 쓰세요.**
Write an email to catch up with your friend using informal language.

1 다음에 대해 생각해 보세요.
Think about the questions.

- ✔ 누구한테?
- ✔ 어떻게 인사하고 안부를 물을 거예요?
- ✔ 여러분은 요즘 어떻게 지내요?
- ✔ 친구한테 하고 싶은 말은?
- ✔ 어떻게 인사하고 끝낼 거예요?

2 생각한 것을 바탕으로 이메일을 쓰세요.
Based on your thoughts, write an email.

반말을 사용하여 안부를 묻는 글을 쓸 수 있어요? ☆ ☆ ☆ ☆ ☆

담화 완성하기 ① Completing Passages ①

 시제를 정확하게 쓸 수 있다.

 써요 1

1 다음과 같이 쓰세요.
Write sentences as shown below.

> 오늘은 수업이 끝난 후에 집에서 <u>쉴 거예요</u>.
>
> 쉬다

1) 오늘 오후에는 친구를 만나서 _____ .

영화를 보러 가다

2) 선생님께서는 지금 책을 _____ .

읽다

3) 한국 음식은 아직 _____ .

못 먹어 보다

4) 할머니께서는 이번 주말에도 집에 _____ .

있다

5) 내년에는 제주도에 _____.

가 보고 싶다

6) 휴일에는 보통 늦게까지 _____.

게임을 하다

7) 어제는 집에서 _____ 한국 음식을 _____.

청소하다　　　　　　　　　　　　만들다

8) 어제는 배가 _____ 병원에 _____.

아프다　　　　　　　　　　가다

9) 어제는 헬스장에 _____ 못 _____.

가려고 하다　　　　　　　　가다

10) 스마트폰을 _____ 아직 못 _____.

사고 싶다　　　　　　　　　사다

2 다음 빈칸에 알맞은 표현을 쓰세요.
Fill in the blanks with appropriate expressions.

1) 　　　먹다　　　　　　나다　　　　　　있다　　　　　　좋아하다

저는 매운 음식을 잘 못 _____. 매운 음식을 먹으면 배탈이 _____. 그리고 가끔

얼굴에 뭐가 날 때도 _____. 그렇지만 저는 매운 음식을 정말 _____.

2)

오다 　　　 덥다 　　　 구경하고 싶다 　　　 하다

저는 작년 여름에 한국에 _____. 우리 나라의 여름은 별로 안 _____. 그렇지만

작년 여름 한국은 정말 _____. 저는 한국을 많이 _____ 너무 더워서 구경을 많이

못 _____.

3)

좋아하다 　　　 배우다 　　　 가다 　　　 부르다

저는 한국 노래를 아주 _____. 그래서 지금 대학교에서 한국어를 _____.

대학교를 졸업하면 한국에 _____. 한국에 가서 제가 좋아하는 가수의 콘서트에 자주

_____. 콘서트에서 큰 소리로 노래를 _____.

4)

오다 　　　 취직하다 　　　 하다 　　　 말하다

저는 5년 전에 한국에 _____. 한국 대학교를 졸업한 후에 서울에 있는 여행사에

_____. 여행사에서는 한국에 놀러 온 중국 사람들한테 한국 문화를 소개하는 일을

_____. 그래서 요즘은 한국에 살지만 중국어를 더 많이 _____.

 써요 2

● 다음 그림을 보고 이 사람의 하루를 글로 쓰세요.
  Look at the pictures and write a passage about the person's day.

1 그림을 보고 다음에 대해 생각해 보세요.
  Look at the pictures, and think about the questions.

  1) 회사에 가기 전에 집에서 무슨 일을 했어요?

  2) 회사에서는 어땠어요?

  3) 그래서 무엇을 하고 싶어 했어요?

4) 집에 돌아온 후에 무엇을 했어요?

2 생각한 것을 바탕으로 글을 쓰세요.
Write a passage based on your thoughts.

_____

_____

_____

_____

_____

_____

시제를 정확하게 쓸 수 있어요?	☆ ☆ ☆ ☆ ☆

담화 완성하기 ② Completing Passages ②

관형형을 정확하게 쓸 수 있다.

 써요 1

1 다음과 같이 쓰세요.
Write sentences as shown below.

> 매일 운동하는 것은 정말 힘들어요.
>
> 운동하다

1) 음식을 잘 ＿＿＿＿＿＿＿＿＿ 사람을 만나고 싶어요.
　　　　　　　 만들다

2) 학교에서 ＿＿＿＿＿＿＿＿＿ 집은 너무 비싸요.
　　　　　　 가깝다

3) 요즘 제가 ＿＿＿＿＿＿＿＿＿ 사람은 한국말을 정말 잘해요.
　　　　　　 만나다

4) 어제 ＿＿＿＿＿＿＿＿＿ 음식은 별로 맛없었어요.
　　　　 먹다

5) 싸고 ＿＿＿＿＿＿＿＿＿ 신발을 사고 싶어요.
　　　　 편하다

6) 어제 _____ 옷은 저한테 정말 잘 어울려요.
　　　　　　사다

7) _____ 커피를 마시고 싶어요.
　　맛있다

8) 여행 가서 _____ 책을 소개해 주세요.
　　　　읽다

9) 요즘 너무 바빠서 친구 _____ 시간도 없어요.
　　　　　　만나다

10) 이 도서관에는 _____ 책이 정말 많아요.
　　　　읽고 싶다

2 **다음 빈칸에 알맞은 표현을 쓰세요.**
Fill in the blanks with appropriate expressions.

1)
　　　　있다　　　　먹다　　　　듣다

내일은 오랜만에 1급 친구들을 만날 거예요. 우리는 학교 근처에 _____ 산에 갈 거예요.

저는 가게에 가서 친구들하고 _____ 김밥하고 과자를 샀어요. 그리고 같이 _____

음악도 찾았어요.

2)

자다	먹다	하고 싶다

저는 이번 방학에 혼자 여행을 가려고 해요. 혼자 가는 여행은 처음이에요. 조금 걱정돼서 인터넷

으로 잠을 _____ 호텔하고 _____ 음식을 찾아봤어요. 그리고 거기에서 _____ 일도

메모했어요.

3)

보다	이상하다	좋다	똑똑하다	배우다	먹어 보고 싶다

저는 주말에 보통 영화를 봐요. 지난 주말에 _____ 영화는 정말 재미있었어요. _____

사람하고, 성격이 안 _____ 사람하고, _____ 사람이 같이 요리를 _____ 영화였

어요. 영화에는 _____ 음식이 정말 많이 나왔어요.

4)

타다	다니다	쉬다	사다	있다	쓰다

박하나 씨의 취미는 자전거를 _____ 것이에요. 같은 회사에 _____ 강용재 씨도 자전거

_____ 좋아해요. 회사가 _____ 날 박하나 씨는 일주일 전에 _____ 옷을 입고 자전

거를 타러 집 근처에 _____ 한강 공원에 갔어요. 그런데 갑자기 비가 왔어요. 박하나 씨는 우

산이 없었어요. 저쪽에서 우산을 _____ 강용재 씨가 박하나 씨 앞으로 오고 있었어요.

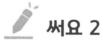

써요 2

● 다음 그림을 보고 두엔 씨의 하루를 글로 쓰세요.
Look at the pictures and write a passage about Duen's day.

1 그림을 보고 다음에 대해 생각해 보세요.
Look at the pictures, and think about the questions.

1) 두엔 씨가 오늘 간 곳은 어디예요?

2) 두엔 씨가 그곳에서 한 일은 뭐예요?

3) 두엔 씨가 내일 갈 곳은 어디예요?

4) 두엔 씨가 그곳에서 할 일은 뭐예요?

5) 문장을 어떻게 쓰고 연결할 거예요?

2 생각한 것을 바탕으로 글을 쓰세요. 글을 쓸 때 다음 문법을 한 번 이상 사용하세요.
Write a passage based on your thoughts. When writing the passage, use the grammatical structures below more than once.

-는   -(으)ㄴ   -(으)ㄹ

관형형을 정확하게 쓸 수 있어요? ☆ ☆ ☆ ☆ ☆

이야기 만들기 Writing a Fairy Tale

앞뒤의 문맥에 맞게 이야기를 만들 수 있다.

 써요 1

1 다음 그림을 보고 이야기의 마지막 부분을 쓰세요.
Look at the pictures and write the ending of the story.

1) 누구하고 누구한테 어떤 일이 생겼어요? 일의 순서를 생각하면서 그림을 배열하세요.
What happened and to whom it happened? Arrange the pictures in the correct order.

①

②

③

④

2) 글을 읽으면서 짝이 되는 그림을 찾으세요.

Read the passages and match each of them with a corresponding picture.

가

옛날 어느 나라에 왕하고 왕비가 살고 있었어요. 두 사람한테는 똑똑한 딸하고 성격이 좋은 아들이 있었어요. 왕하고 왕비, 공주님하고 왕자님은 서로를 정말 사랑했어요. 그런데 성에 같이 살고 있는 왕의 남동생하고 여동생은 왕의 가족을 아주 싫어했어요.

나

그러던 어느 날 왕하고 왕비가 갑자기 돌아가셨어요. 공주님하고 왕자님은 정말 슬펐어요.

다

그렇지만 왕의 동생들이 공주님하고 왕자님한테 일을 너무 많이 줘서 공주님하고 왕자님은 울 시간도 없었어요. 공주님하고 왕자님은 정말 힘들었지요.

라

공주님하고 왕자님이 밖으로 잠깐 나간 어느 날, 왕의 동생들은 성의 문을 닫았어요. 공주님하고 왕자님이 돌아와서 큰 소리로 말했지만 문을 안 열어 줬어요.

3) 그림과 글을 같이 보면서 모르는 표현의 의미를 추측하세요.

Look at the pictures and passages together, and guess the meaning of unknown words.

옛날 어느 나라에	그러던 어느 날	갑자기

왕	왕비	공주님	왕자님	성

서로	잠깐	문을 닫다/열다	돌아오다

4) 공주님하고 왕자님은 어떻게 되었을까요? 친구들하고 같이 이야기의 마지막 부분을 생각해 보세요.

How do you think the prince and princess will end up at the end? Think about the ending of the story together with your partners.

5) 생각한 내용을 바탕으로 마지막 부분을 쓰세요.

Based on your thoughts, write the ending of the story.

마

공주님하고 왕자님은 _____

_____

_____

_____

6) 여러분이 만든 이야기를 다른 친구들한테도 이야기해 주세요. 어떤 이야기가 제일 재미있어요? 어떤 이야기가 제일 자연스러워요? 왜 그렇게 생각해요?

Tell your story to your partners. Whose story is the most interesting? Whose story sounds most natural? Why do you think so?

써요 2

● **다음이 시작인 이야기를 만드세요.**
Write a story that starts with the passage below.

1) 시작 부분을 읽으면서 누구하고 누구에 대한 이야기인지 생각해 보세요.
Read the beginning part, and think about who the story is about.

> 옛날 어느 곳에 두 가족이 살고 있었어요. 한 가족한테는 아들이 있고, 다른 가족한테는 딸이 있었어요. 두 가족은 가까운 곳에 살았지만 서로를 정말 싫어했어요. 그래서 아들하고 딸은 한 번도 못 만났어요. 그러던 어느 날 …

2) 아들하고 딸의 이름을 정하세요.
Decide on the names of the son and daughter.

3) 반 친구들을 네 팀으로 나누세요. 그리고 어느 팀이 ㉯ ~ ㉤의 이야기를 만들지 정하세요.
Split the class into four teams. Then, decide which team will write each part of the story from ㉯ to ㉤.

4) 각 팀은 다음 상황의 이야기를 만드세요.
Each team develops a story about the given situation.

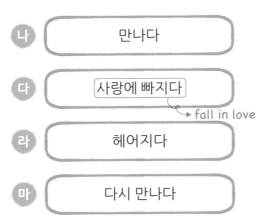

나 만나다

다 사랑에 빠지다
→ fall in love

라 헤어지다

마 다시 만나다

5) ㉯부터 ㉰까지 여러분이 만든 이야기를 다른 친구들한테 이야기해 주세요.

Each team shares the story they created from ㉯ to ㉰ with others.

6) 친구들이 만든 이야기가 자연스러워요? 마음에 들어요?

Do the stories the other teams created sound natural? Do you like them?

7) 여러분이 혼자 만들었다면 어떻게 만들었을 것 같아요? 집에 가서 한번 만들어 보세요.

If you write a story on your own, what story would you write? Go home and write your own story.

_____

_____

_____

_____

_____

_____

앞뒤의 문맥에 맞게 이야기를 만들 수 있어요?	☆ ☆ ☆ ☆ ☆

정답

1과 자기소개

● 써요 1

1

1) 수영을 가르치고 있어요.
2) 은행에 다니고 있어요.
3) 관광 가이드예요.
4) 취직을 준비하고 있어요.
5) 승무원이에요.
6) 대학에 다니고 있어요.
7) 카페를 해요.

2

1) 6급까지 수료한 후에 대학에 입학하려고 해요.
2) 대학을 졸업한 후에 고향에 돌아가려고 해요.
3) 고향에 돌아간 후에 취직하려고 해요.
4) 회사를 그만둔 후에 유학을 가려고 해요.

2과 위치

● 써요 1

1

1) 가방이 컴퓨터 옆에 있어요.
2) 하준 씨가 정문 앞에 있어요.
3) 정수기가 사무실 앞에 있어요.
4) 자동판매기가 엘리베이터 앞에 있어요.

2

1) 똑바로 가세요.
2) 왼쪽으로 돌아가세요.
3) 3층으로 올라가서 왼쪽으로 가세요.
4) 아래로 내려가서 오른쪽으로 가세요.

3

1) 화장실은 오른쪽으로 돌아가면 돼요.
2) 사무실은 왼쪽으로 돌아가면 돼요.
3) 자동판매기는 3층으로 올라가면 돼요.
4) 정수기는 아래로 내려가서 오른쪽으로 가면 돼요.

3과 여가 생활

● 써요 1

1

1) 저는 기타 치는 것을 좋아해요.
2) 저는 티브이 보는 것을 싫어해요.
3) 저는 한국어 책을 읽는 것이 어려워요.
4) 저는 산책하는 것을 안 좋아해요.
5) 저는 청소하는 것이 힘들어요.
6) 저는 농구하는 것이 재미없어요.

2

1) 샤워할 때 음악을 들어요.
2) 고향에 살 때 산책을 자주 했어요.
3) 학교에 갈 때 친구하고 같이 가요.
4) 대학교에 다닐 때 한국어를 공부했어요.
5) 드라마가 다 끝났을 때 친구가 왔어요.
6) 운동장에서 춤 연습을 할 때 비가 왔어요.

4과 건강

● 써요 1

1

1) 열이 나면 병원에 가세요.
2) 콧물이 나면/감기에 걸렸으면 약을 드세요.
3) 배탈이 났으면 집에 일찍 가세요.
4) 다리를 다쳤으면 집에서 쉬세요.

2

1) 배탈이 나서 밥을 먹으면 안 돼요.

2) 지금은 안 아파서 학교에 가도 돼요.

3) 머리가 아파서 책을 읽으면 안 돼요.

4) 감기에 걸려서 수영을 하면 안 돼요.

5) 알레르기가 심해서 산책을 하면 안 돼요.

6) 내일 휴일이라서 늦게 일어나도 돼요.

5과　좋아하는 것

● 써요 1

1

1) 나는 머리가 길지만 친구는 머리가 짧아요.

2) 빌궁 씨는 뚱뚱하지만 나는 말랐어요.

3) 이 방은 깨끗하지만 저 방은 더러워요.

4) 여기는 조용하지만 저기는 시끄러워요.

5) 이 의자는 편하지만 그 의자는 불편해요.

2

1) 영화를 좋아하는 사람을 만나면 좋겠어요.

2) 성격이 좋고 귀여운 사람을 사귀면 좋겠어요.

3) 멋있고 똑똑한 사람을 만나면 좋겠어요.

4) 책을 많이 읽는 사람을 사귀면 좋겠어요.

5) 학교에서 가까운 집에 살면 좋겠어요.

6) 깨끗하고 넓은 집에 살면 좋겠어요.

7) 차가운 커피를 마시면 좋겠어요.

8) 시원하고 아주 단 과일을 먹으면 좋겠어요.

9) 재미있는 장소에 놀러 가면 좋겠어요.

10) 단풍이 예쁜 산에 놀러 가면 좋겠어요.

11) 싸고 가벼운 노트북을 사면 좋겠어요.

12) 예쁘고 마음에 드는 옷을 사면 좋겠어요.

6과　가족

● 써요 1

1

1) 어머니께서는 요즘 한국어를 배우세요.

2) 할아버지께서는 키가 크시고 멋있으세요.

3) 아버지께서는 한국 음식을 좋아하셔서 자주 드세요.

4) 제 친구는 전에 한국 회사에서 일했어요.

5) 사장님께서 자주 가시는 곳이에요.

6) 선생님께서는 내일 한국에 오실 거예요.

7) 어머니께서는 지금 아마 집에 계실 거예요.

8) 할머니께서 많이 편찮으세요. 그래서 오늘 안 오셨어요.

2

1) 저는 내 이야기를 들어 주는

2) 저는 어려울 때 도와주는

3) 저는 밥을 사 주는

4) 저는 한국어를 잘 가르쳐 주는

5) 저는 잘 웃어 주는

7과　여행

● 써요 1

1

1) 해수욕장에서 수영을 해 봤어요.

2) 전주에서 비빔밥을 먹어 봤어요.

3) 민속촌에서 한복을 입어 봤어요.

4) 한국에서 배를 타 봤어요.

5) 일본에서 온천에 가 봤어요.

6) 한국에서 박물관에 가 봤어요.

7) 고향에서 한국 음식을 만들어 봤어요.

8) 고려대학교에서 사진을 찍어 봤어요.

9) 한국에서 눈사람을 만들어 봤어요.

10) 교실에서 K-POP 춤을 춰 봤어요.

2

1) 미술관에서 본 그림은 정말 멋있었어요.

2) 야시장에서 산 음식은 아주 쌌어요.

3) 부산에서 본 경치는 정말 멋있었어요.

4) 전주에서 먹은 비빔밥은 정말 맛있었어요.

5) 영국에서 간 박물관은 아주 멋있었어요.

6) 부산에서 구경한 절은 정말 컸어요.

7) 한국에서 가 본 해수욕장은 정말 좋았어요.

8) 어제 배운 춤은 아주 어려웠어요.

8과 옷 사기

● 써요 1

1

1) 나쓰미 씨는 노란색 원피스를 입었어요.
2) 하준 씨는 까만색 모자를 썼어요.
3) 미아 씨는 하늘색 스웨터를 입었어요.
4) 무함마드 씨는 갈색 신발을 신었어요.
5) 두엔 씨는 분홍색 블라우스를 입었어요.
6) 다니엘 씨는 까만색 정장을 입었어요.
7) 지아 씨는 하얀색 신발을 신었어요.
8) 카밀라 씨는 까만색 안경을 썼어요.
9) 용재 씨는 갈색 시계를 찼어요.

2

1) 책을 읽는 것 같아요.
2) 기타를 치는 것 같아요.
3) 청소하는 것 같아요.
4) 자는 것 같아요.
5) 비가 오는 것 같아요. / 바람이 부는 것 같아요.
6) 날씨가 좋은 것 같아요. / 날씨가 맑은 것 같아요.

9과 축하와 위로

● 써요 1

1

1) 장학금을 받아서
2) 시험에 떨어져서
3) 가족이 아파서
4) 돈을 잃어버려서

2

1) 한국어를 잘하면 아르바이트를 구할 수 있을 거예요.
2) 연습을 많이 하면 발표할 때 실수를 안 할 거예요.
3) 열심히 공부하면 좋은 곳에 취직할 거예요.
4) 매일 연습을 하면 배드민턴을 잘 칠 수 있을 거예요.
5) 한국 드라마를 자주 보면 한국말을 잘할 수 있을 거예요.
6) 내일 눈이 많이 오면 눈사람을 만들 수 있을 거예요.

10과 안부

● 써요 1

1

1) 나는 한국에서 유학 중이야. 부모님은 중국에 사셔. 나만 한국에 살아.
2) 나는 겨울에 한국에 왔어. 한국 겨울은 너무 추웠어. 그래서 처음에는 한국 생활이 조금 힘들었어.
3) 아직 나는 한국 친구가 많이 없어. 한국 친구를 많이 사귀고 싶어.
4) 한국 친구를 사귀면 한국어를 많이 연습할 거야. 그리고 같이 서울을 구경했으면 좋겠어.
5) 다음 주부터는 방학이야. 방학에는 조금 늦게 일어날 거야. 그렇지만 아침을 꼭 먹으려고 해.
6) 나는 매운 음식을 잘 못 먹어. 그래서 선생님께 안 매운 한국 음식 이름을 많이 물어봤어.
7) 지난주에는 홍대하고 이태원에 가 봤어. 한국에는 재미있는 곳이 정말 많은 것 같아.
8) 지금은 들어가면 안 돼. 수업 중이야. 수업이 끝나면 알려 줄게. 그때 들어가.

2

1) 저녁에 먹을 음식은 삼겹살이에요.
2) 방학에 놀러 갈 곳은 한라산이에요.
3) 내일 우리가 볼 영화는 '여름 일기'예요.
4) 이번에 노래할 사람은 다니엘 씨예요.
5) 우리가 같이 만들 음식은 김치예요.
6) 지금부터 들을 음악은 '여름 일기'예요.
7) 다음 주에 읽을 책은 이 책이에요.
8) 내일 만날 곳은 학교 정문이에요.
9) 내일 가게에서 살 물건은 휴지예요.
10) 앞으로 우리가 살 집은 저 집이에요.

11과 담화 완성하기 ①

● 써요 1

1

1) 영화를 보러 갈 거예요.
2) 읽고 계세요.
3) 못 먹어 봤어요.

4) 계실 거예요.

5) 가 보고 싶어요.

6) 게임을 해요.

7) 청소하고, 만들었어요.

8) 아파서, 갔어요.

9) 가려고 했는데, 갔어요.

10) 사고 싶지만, 샀어요.

2

1) 먹어요, 나요, 있어요, 좋아해요

2) 왔어요, 더워요, 더웠어요, 구경하고 싶었지만, 했
   어요

3) 좋아해요, 배워요, 갈 거예요, 갈 거예요, 부를 거예요

4) 왔어요, 취직했어요, 하고 있어요 / 해요, 말해요

12과 담화 완성하기 ②

● 써요 1

1

1) 만드는

2) 가까운

3) 만나는

4) 먹은

5) 편한

6) 산

7) 맛있는

8) 읽을

9) 만날

10) 읽고 싶은

2

1) 있는, 먹을, 들을

2) 잘, 먹을, 하고 싶은

3) 본, 이상한, 좋은, 똑똑한, 배우는, 먹어 보고 싶은

4) 타는, 다니는, 타는 것을, 쉬는, 산, 있는, 쓴

어휘 찾아보기 (단원별)

어휘 찾아보기 (가나다순)

MEMO

2

English Version

초판 발행	2019년 8월 5일
2판 발행 1쇄	2023년 8월 25일
지은이	고려대학교 한국어센터
펴낸곳	고려대학교출판문화원
	www.kupress.com
	kupress@korea.ac.kr
	02841 서울특별시 성북구 안암로 145
	Tel 02-3290-4230, 4232
	Fax 02-923-6311
유통	한글파크
	www.sisabooks.com / hangeul
	book_korean@sisadream.com
	03017 서울시 종로구 자하문로 300 시사빌딩
	Tel 1588-1582
	Fax 0502-989-9592
일러스트	최주석, 황주리
편집디자인	한글파크
찍은곳	네오프린텍(주)
ISBN	979-11-90205-00-9 (세트)
	979-11-90205-72-6 04710

값 12,000원

※ 잘못 만들어진 책은 바꿔 드립니다.